Liliane Delwasse

LA TENTURE DE L'APOCALYPSE D'ANGERS

ÉDITIONS DU PATRIMOINE
CENTRE DES MONUMENTS NATIONAUX

À LA RENCONTRE DE L'APOCALYPSE

Un chef-d'œuvre d'une facture exceptionnelle

Même quand on n'est pas friand de superlatifs, à Angers ceux-ci s'imposent. La première rencontre produit un choc esthétique. L'œuvre se présente sur le mur bleu sombre d'une immense salle toute en longueur, construite exprès pour l'héberger, noyée dans un subtil clair-obscur. C'est la plus grande tenture jamais tissée en Europe avec une longueur de 140 mètres et une surface de 850 mètres carrés. Elle formait à l'origine un ensemble de six pièces, chacune d'un seul tenant et mesurant plus de 23 mètres de long et 6 mètres de haut – chaque pièce se composait de quatorze scènes déployées sur deux niveaux. Les outrages des siècles et la sottise des hommes l'ont amputée de près d'un tiers et nombre de scènes ont disparu, ne nous laissant que des supputations pour les imaginer ou, parfois, des descriptions. Il n'en reste « que » 104 mètres. Avec ses couleurs pâlies, effacées par le temps, ses dessins étranges, incompréhensibles à un non-initié, ses luttes violentes issues du fond des âges, ses animaux de légende, ses figures inaccessibles et ses personnages allégoriques, la tenture de l'Apocalypse est un des plus fabuleux témoignages du passé, de l'Histoire et de la foi des hommes.

Les croisés ont admiré passionnément les riches tissus brochés, brodés ou damassés qu'ils ont découverts à l'occasion des expéditions successives en Orient. De nombreux écrits vantent leur beauté et leur richesse. Bien des preux chevaliers ne se sont guère gênés pour en rapporter dans leurs bagages. Quoi de plus décoratif, de plus flatteur qu'une opulente tenture ?

L'industrie tapissière ne s'est pas organisée spontanément. Car il s'est agi d'une véritable industrie avec ses ateliers, ses ouvriers et ses patrons, ses banquiers et ses financiers.

Galerie de l'Apocalypse. Vue montrant la fin de la troisième pièce de la tenture, l'ensemble de la quatrième pièce et une partie de la cinquième pièce.

La « mondialisation », si l'on ose employer cet anachronisme, faisait déjà voir ses effets et les meilleurs artistes s'arrachaient à prix d'or, passant d'un pays à l'autre et d'un atelier à l'autre.

L'idée de raconter une histoire ou de transcrire un sujet sur un tissu est apparue très tôt. On sait que les Coptes d'Égypte ont utilisé la technique des lissiers et quelques exemples sont parvenus jusqu'à nous. Les tentures ont joui dès l'époque romane de la faveur des classes aisées pour des raisons tant esthétiques que thermiques : en effet il n'y a pas de meilleur isolant pour recouvrir les murs froids et humides des anciennes demeures qu'un épais tissu de laine. Les ateliers monastiques ont à partir de l'an mil excellé dans cet artisanat, tout comme c'est aux moines copistes que l'on doit les superbes manuscrits enluminés que l'on connaît. Mais c'est au XIVe siècle que l'art de la tapisserie est parvenu à son apogée dans les ateliers des Flandres, du nord de la France, de l'Allemagne et de l'Italie. On assiste à une véritable explosion de commandes, non seulement royales et princières, mais également dans les cours seigneuriales européennes, en particulier d'armoiries et de blasons, puis de mille fleurs et d'animaux et enfin plus tardivement de tapisseries historiées, de toutes tailles et de toutes qualités.

Grandeur et prestige des princes d'Anjou

L'Anjou est à ce moment-là un puissant duché, tampon entre la Bretagne et la France. Jean le Bon (1319-1364) a eu quatre fils : Charles V (1337-1380), duc de Normandie puis roi de France, Louis Ier (1339-1384), duc d'Anjou, Jean (1340-1416), duc de Berry, et Philippe II le Hardi (1342-1404), duc de Bourgogne. Ils ont grandi dans l'atmosphère cultivée et raffinée de la cour des Valois, entourés de musiciens, de poètes et de peintres. Ils ont tous aimé les belles choses, ont favorisé les arts, multipliant les commandes, vénérant les artistes et se plaisant à collectionner bijoux précieux et manuscrits rares dans une heureuse émulation. Le roi, Charles V le Sage, reconstruit et embellit le Louvre, et crée la Bibliothèque royale, ancêtre de la Bibliothèque nationale ; le duc de Berry est resté célèbre pour les manuscrits somptueusement enluminés de ses Heures, joyaux de sa « librairie », une des plus riches d'Europe. Philippe de Bourgogne fait élever près de Dijon la chartreuse de Champmol, collectionne tapisseries, tableaux, dessins et miniatures. Louis d'Anjou, lui, possède une exceptionnelle collection d'orfèvrerie riche de plus de trois mille six cents pièces dont il ne restera rien, l'argenterie ayant été fondue pour payer les frais considérables de la guerre de Cent Ans. À l'âge de 25 ans, ce prince possède déjà soixante-seize tapisseries de grandes dimensions achetées dans les meilleurs ateliers.

C'est un seigneur très ambitieux, pas trop regardant sur les méthodes, avide de pouvoir et fort soucieux de son image. Il guerroie en Italie, lorgne sur le royaume de Naples et de Sicile. Il a créé un ordre, histoire d'asseoir son prestige, celui de la Vraie Croix. En effet la croix dite « de Lorraine », à double traverse, n'a d'autre origine que la croix reliquaire de Baugé, dans le Maine-et-Loire, dont il s'enorgueillit. À la suite des grandes batailles de la guerre de Cent Ans, la noblesse a été décimée, les valeurs féodales entament déjà leur déclin et un certain nombre d'ordres chevaleresques ont été fondés afin de tenter de réhabiliter ces valeurs menacées. Louis Ier d'Anjou veut-il montrer sa puissance à ses pairs et aux membres de l'ordre, les éblouir par un décor remarquable pour abriter les cérémonies, joutes et tournois ? Il passe commande en 1373 d'un « très beau tapis » illustrant le dernier livre de l'Évangile, l'Apocalypse selon saint Jean. C'est Nicolas Bataille qui en est en quelque sorte le promoteur, finançant les travaux et se chargeant d'organiser leur réalisation. Jean Bondol dit « Hennequin de Bruges », célèbre peintre officiel de la cour, est chargé des « pourtraitures et patrons », c'est-à-dire des cartons et des maquettes. La fabrication de ce chef-d'œuvre est confiée à l'atelier de Robert Poisson (ou Poinçon suivant les écrits), lissier à Paris. Les livraisons commencent en 1380 et la totalité de l'œuvre est terminée en 1382. Hélas, Louis Ier – devenu régent de France en 1380, après la mort de son frère Charles V, le petit Charles VI, son neveu, étant trop jeune pour régner – ne profitera pas longtemps de sa merveille car il décède en 1384.

La tenture, objet de puissance et d'admiration… puis de délaissement

À quel usage le prince destinait-il sa tapisserie ? Aucune salle n'était assez vaste dans son château pour présenter une œuvre de cette taille, la plus grande jamais conçue. La tapisserie était-elle destinée à servir de tente en extérieur ? Certains ont avancé cette hypothèse. Le bon sens la récuse : comment croire qu'une œuvre de ce prix, admirée par toute l'Europe, serait abandonnée aux intempéries, à la pluie et au vent ? Tout porte à croire que la tenture, pièce unique et infiniment précieuse, habituellement soigneusement pliée dans des coffres, n'était exposée qu'aux très grandes occasions pour frapper l'imagination et montrer la puissance et le luxe des princes d'Anjou.

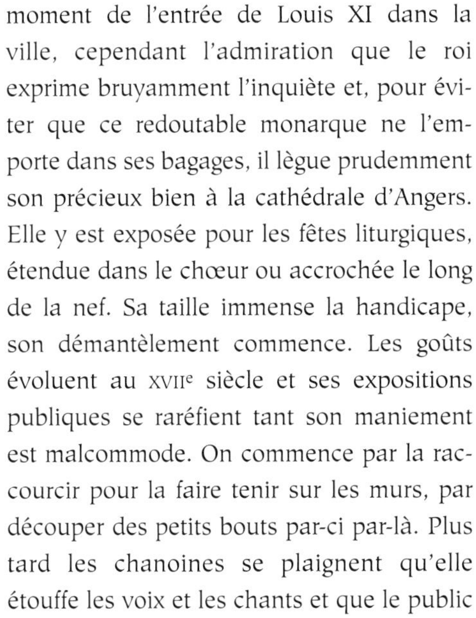

Le thème n'est pas nouveau, il est même assez à la mode. Son frère Philippe possédait déjà des tapisseries illustrant le texte de saint Jean, infiniment plus modestes puisque réalisées en cinq ou six tableaux. Et le duc de Berry a également la sienne sur une seule tenture. Mais celle de Louis va dépasser tout ce qui a été fait jusqu'alors. Ses frères lui prêtent les leurs, histoire de l'aider à se documenter. Il se procure un certain nombre de manuscrits et de tableaux de l'Apocalypse. Du coup le « beau tapis » s'inspirera plus de cette abondante iconographie que du texte lui-même. À l'époque carolingienne déjà celui-ci avait donné lieu à une débauche d'illustrations de toutes sortes. On a retrouvé dans les archives les traces des paiements successifs, en plusieurs annuités. Louis n'avait pas lésiné : la tapisserie valait une véritable fortune pour l'époque, 6000 francs en or, 1000 francs par pièce.

Louis II d'Anjou (1377-1417), son fils et héritier, l'a fait transporter à Arles pour y être exposée et servir de tente à l'occasion de son mariage avec Yolande d'Aragon en 1400. Les textes reflètent l'émerveillement des invités devant cette œuvre prestigieuse dont toutes les cours d'Europe avaient entendu louer la beauté, la finesse du travail et la complexité du scénario. Un admirateur invité à la noce relatait dans une lettre : « Il n'est homme qui puisse écrire, raconter la valeur, la beauté, la noblesse de ces tissus, desquels l'hôtel de l'archevêché était décoré tant aval qu'amont. » Puis la tapisserie retourne à Angers dans ses coffres d'où on ne la sort que pour de grands événements.

Mais l'histoire est en marche, Louis XI (1423-1483) met la main sur l'Anjou en 1474 et rattache ce duché à la France. Le roi René (1409-1480), fils de Louis II, déploie la tenture au moment de l'entrée de Louis XI dans la ville, cependant l'admiration que le roi exprime bruyamment l'inquiète et, pour éviter que ce redoutable monarque ne l'emporte dans ses bagages, il lègue prudemment son précieux bien à la cathédrale d'Angers. Elle y est exposée pour les fêtes liturgiques, étendue dans le chœur ou accrochée le long de la nef. Sa taille immense la handicape, son démantèlement commence. Les goûts évoluent au XVIIe siècle et ses expositions publiques se raréfient tant son maniement est malcommode. On commence par la raccourcir pour la faire tenir sur les murs, par découper des petits bouts par-ci par-là. Plus tard les chanoines se plaignent qu'elle étouffe les voix et les chants et que le public n'entend pas bien leurs sermons. De toute façon la mode des tapisseries est passée depuis longtemps, le XVIIIe siècle n'aime que la raison, la clarté, les antiquités, déteste le Moyen Âge, qualifié d'obscurantiste, et les symboles ésotériques et mystérieux de l'Apocalypse ne pouvaient pas trouver grâce aux yeux des rationalistes du siècle des Lumières. La tapisserie est mise en vente par les chanoines en 1782, à la veille de la Révolution, à vil prix. Humiliation suprême, elle ne trouve même pas preneur ! Elle est jetée au rebut dans un dépôt d'œuvres religieuses vieillottes dont plus personne ne veut. Malmenée, découpée, parfois en fines lanières, elle sert à panser les chevaux, à boucher des trous, à bâcher les parquets, à protéger de la pluie, de la boue, à nettoyer les travaux de terrassement, et même à essuyer les pieds…

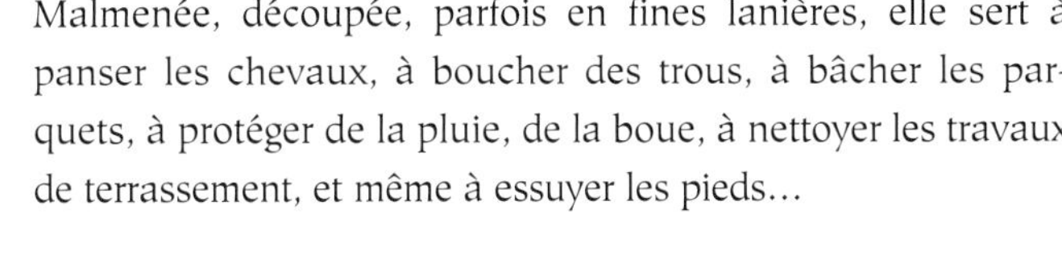

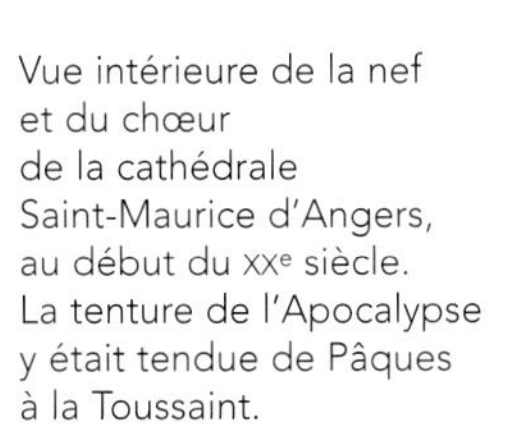

Vue intérieure de la nef et du chœur de la cathédrale Saint-Maurice d'Angers, au début du XXe siècle. La tenture de l'Apocalypse y était tendue de Pâques à la Toussaint.

Renaissance et restauration

Le XIXe siècle et la période romantique réhabilitent le Moyen Âge. Les châteaux forts fascinent, ponts-levis, herses, belles dames à hennins et poulaines reviennent à la mode avec le goût des légendes exotiques, des brumes du Nord, du rêve, du fantastique et des symboles. On édite le cycle du roi Arthur, les lais de Marie de France, on lit *Ivanhoé*. Walter Scott fait un tabac. Le custode, responsable du trésor et des ornements liturgiques de la cathédrale Saint-Maurice d'Angers, le chanoine Joubert, est chargé en 1848 de l'inventaire. Il découvre, horrifié, l'état pitoyable de la tapisserie, il s'attelle à la faire restaurer, à retisser certains morceaux manquants, la fait laver dans l'eau de la Maine. Malheureusement les pigments naturels du XIVe siècle n'ont pas survécu. Les colorants chimiques du XIXe siècle donnent des tons très différents. Elle est en tout cas mise à l'abri, exposée en bonne place lors de l'Exposition universelle de 1867 et classée monument historique en 1902.

Première muséographie de la tenture dans la galerie dédiée à son exposition. Cette présentation sur un fond rouge, réalisée dans les années 1950, perdurera jusqu'en 1982, date à partir de laquelle la tenture sera présentée sur un fond beige. Le fond bleu actuel date du réaménagement effectué en 1996.

La loi de séparation de l'Église et de l'État de 1905 fait obligation aux biens du clergé d'être mis à la disposition de l'État et du public. La tenture retourne donc au château d'Angers, au milieu du XXe siècle, pour y être contemplée et admirée. Jamais dans son intégralité puisque aucune salle ne peut la recevoir. Mais, exposée en pleine lumière, elle se décolore encore plus, les bordures s'effritent et s'effilochent. En 1952 il est décidé de bâtir une galerie sur mesure, aux dimensions nécessaires pour la suspendre en entier. Le chantier, confié à Bernard Vitry, architecte en chef des monuments historiques, assisté de l'architecte angevin Henri Enguehard, dure deux ans. En 1954 la tapisserie prend sa place définitive. Cette galerie, conçue avec de grandes baies, laisse pénétrer les rayons solaires et lunaires ce qui altère les coloris de la tenture. Les baies sont donc occultées par des rideaux en 1975. En 1980, à l'occasion de la mise en place de barres d'accrochage, afin d'éviter tout contact de la tenture avec le mur, celle-ci est déposée, dédoublée et nettoyée au château sous la direction de l'abbé Antoine Ruais, conservateur des collections. Et là, oh ! surprise, on s'aperçoit avec émotion que l'envers a conservé intactes les couleurs éclatantes, crues, joyeuses qui faisaient sa beauté. On découvre, de surcroît, que l'envers est aussi parfaitement réalisé que l'endroit : il était, à l'origine, dénué de fil apparent. C'est ce qu'on appelle une tapisserie « sans envers ».

Ce n'est qu'en 1982 qu'on décide de réaménager la galerie. Mais il faudra attendre encore dix ans pour que le projet débute. L'intervention, définie en 1993 par Gabor Mester de Parajd, architecte en chef des monuments historiques, est réalisée de janvier à juillet 1996. La galerie est entièrement réaménagée, la muséographie est reprise : sur les murs teintés d'un bleu sombre, afin de les mettre en valeur, les scènes sont accrochées à deux hauteurs, tendues sur des velcros, chacune étant cernée d'un léger filet blanc évoquant la surface des pièces d'origine. Des lumières tamisées qui permettent au public de contempler la tenture à l'endroit sans la dégrader plus avant sont installées : l'éclairage limite à 40 lux la luminosité.

L'Apocalypse, un témoignage de la grandeur de Dieu

Nous expliquions plus haut que le texte de saint Jean avait déjà donné lieu à une iconographie nombreuse. Tableaux, miniatures, enluminures ont, semble-t-il, servi de références à la tapisserie au moins autant que le texte original, écrit à la fin du Ier siècle, sous le règne de l'empereur Domitien. Les spécialistes doutent fort que saint Jean, alors âgé de quatre-vingt-dix ans, ait rédigé une ligne de cette prose. Retiré sur l'île de Patmos, il avait fondé une école dite « johannique » et c'est sans doute l'un de ses disciples qui en est l'auteur.

Dans le langage courant apocalypse signifie « catastrophe », « fin du monde », mais en grec cela veut dire « révélation ». Et ce dernier livre de la Bible serait la retranscription des visions, hallucinations et révélations de saint Jean, dit l'Évangéliste. Il s'agit du combat du bien et du mal, de la lutte entre Dieu et le diable, lutte dont l'humanité est l'enjeu. Et qui se termine par la victoire du Christ et de son Église dans la Jérusalem céleste. Avant de détailler le scénario de cette « bande dessinée » extraordinaire, il convient de préciser que la fin du Ier siècle était cruelle pour les chrétiens. Les persécutions battaient leur plein et les communautés chrétiennes, en particulier celles d'Asie Mineure, vivaient une période difficile. Aux brimades officielles s'ajoutait une défection momentanée des fidèles, craintifs et las de se cacher. Les faux prophètes se multipliaient, les influences païennes étaient encore très présentes. Le messianisme évangélique s'affaiblissait et la ferveur n'était plus celle des premières années. La symbolique de ce texte retrace tout naturellement les conditions de vie de son époque. Les Romains, avec la toute-puissance des empereurs et le paganisme, sont l'incarnation du mal ; ils sont représentés par la Bête de la mer qui émerge de la Méditerranée, mer romaine par excellence (*mare nostrum*), la Bête de la terre étant la menace interne que faisait peser sur le christianisme des débuts la désaffection des troupes. L'Apocalypse avait pour fonction de réconforter des fidèles découragés, de leur détailler les drames et épreuves auxquels ils avaient et auraient encore à faire face, avant la victoire finale. Une façon de les inciter à tenir bon…

Saint Jean, puisque nous garderons par commodité cette attribution, expose comment il fut saisi par l'Esprit et entendit une voix qui proclamait : « Ce que tu vois, écris-le dans un livre. » Il s'adresse dès le début aux sept Églises d'Asie Mineure : Éphèse, Smyrne, Pergame, Thyatire, Sardes, Philadelphie et Laodicée. En réalité, à travers elles il s'adresse à toute l'Église, disséminée sur le pourtour de la Méditerranée. Les premières visions sont celles du Christ assis au milieu de sept chandeliers d'or. La scène suivante montre Dieu en majesté au milieu de vingt-quatre vieillards, accompagné des quatre Animaux, emblèmes des quatre évangélistes : le lion pour Marc, le taureau pour Luc, l'homme pour Matthieu et l'aigle pour Jean. Les vieillards de l'Apocalypse ont été l'objet d'interprétations diverses : patriarches, prophètes, apôtres. On considère en général qu'ils représentent l'humanité souffrante et rachetée par les prières. Une autre scène nous montre saint Jean en larmes, puis le lion de Juda sous l'aspect de l'agneau égorgé, symbole du Christ offert en sacrifice pour racheter l'humanité. Se succèdent les chevaux, lors de la rupture des sceaux : le blanc est la parole de Dieu, le rouge la guerre, le noir les malheurs et la famine, le dernier, livide, représentant la mort. La scène suivante montre les âmes des martyrs subissant les épreuves.

Une deuxième pièce illustre les événements vus du ciel. Les événements vécus sur terre sont annoncés par sept trompettes, signal des nombreuses tribulations qui seront châtiment pour les impies et délivrance pour les élus. La foule des élus, couronnés de palmes, accompagne ces visions terribles. On voit la terre, la mer, les fleuves, le feu et la grêle, le naufrage et l'absinthe (sorte d'air vicié et étouffant qui accompagne la venue de Satan), les invasions meurtrières, en particulier celle des sauterelles. Une myriade de cavaliers déferle de l'abîme pour susciter les guerres qui menacent d'exterminer les hommes. Un ange vient annoncer la consommation prochaine des jugements divins contenus dans le livre. Mais il est accompagné d'un arc-en-ciel symbole d'espoir, destiné à rassurer ceux qui craignent Dieu et à promettre au milieu de ces cataclysmes, et en dépit d'eux, la miséricorde divine.

La troisième pièce, appelée parfois « la saga des témoins », évoque la venue sur terre des témoins envoyés par le Christ pour prêcher sa parole. Hélas, la Bête de l'Abîme, l'Antéchrist, sort de l'enfer pour les détruire. Cette bête figure l'Empire romain persécuteur, et, par extension historique, on l'a identifiée à l'Anglais féroce qui a apporté malheur et deuil sur la douce France. Les témoins gisent à l'entrée de Sodome, symbole biblique d'un monde perverti. Des colombes, souffles de vie, les ressusciteront et la septième trompette annoncera la victoire. Une femme vêtue du soleil, que l'on assimile couramment à Marie, enfante dans la douleur et Satan, sous forme d'un serpent venimeux, tente de lui dérober son enfant. Celui-ci est alors élevé au ciel et son corps mystique se réfugie dans le sanctuaire des cœurs. Autre lutte, celle de saint Michel combattant le dragon, sa lance n'est autre que la croix. Ce même dragon, incarnation de Satan, non découragé par ses échecs successifs, s'attaque à tous les serviteurs de Dieu. Il est à noter que ceux-ci portent les armoiries de Louis Ier d'Anjou, commanditaire de la tapisserie, et de sa femme Marie de Blois. C'est sans doute bien le moins ! La dernière scène de cette tapisserie met l'accent sur l'adoration de la Bête, parodie de l'adoration du Seigneur.

Château d'Angers.
Vue, de gauche à droite,
du logis royal,
de la chapelle, du châtelet
du roi René et de la galerie
de l'Apocalypse. La galerie,
édifiée entre 1952 et 1954
pour accueillir la tenture,
est adossée à la forteresse
de Saint Louis.

La quatrième pièce sonne comme un avertissement : les hommes qui rendent un culte à la Bête, qui font montre d'opiniâtreté dans le mal, seront punis par où ils ont péché. La Bête de la terre tout d'abord, qui évoque les faux prophètes, a l'apparence de l'agneau, mais sa parole est trompeuse et perverse et elle fait tomber le feu du ciel. Antéchrist religieux, elle impose l'adoration de la Bête de la mer ; le manque de foi désarme les fidèles devant le paganisme et le totalitarisme de l'Empire. Les vrais chrétiens sont alors décapités. Face à ces monstres horribles qui avilissent l'homme, l'agneau-Christ se dresse comme purifié, sur la montagne de Sion. Les anges alors annoncent les nouvelles du ciel, les bonnes et les mauvaises. L'impiété, la corruption s'incarnent en Babylone, ville prostituée, signe de Rome, lieu de tous les vices dont on annonce la chute proche. Un autre prédit le sommeil serein aux sages qui ont résisté aux séductions : tandis qu'ils sont couchés dans des lits mortuaires, leurs âmes après leur mort seront emportées au ciel par deux anges dans un drap blanc. Saint Jean détaille les étapes du Jugement dernier en présentant la moisson des élus, récompense des justes qui récoltent le fruit mérité de leur héroïque sagesse et de leur fidélité. Par opposition, la vendange des réprouvés irrite Dieu : il y a tant de méchants que la vendange déborde de la cuve et se répand en flots de sang hors de la maison du Seigneur, allant se perdre dans des territoires inconnus. Il faut noter au passage la vigne en espalier, typique de la fin du XIVe siècle. Par opposition les anges chantent avec les harpes les louanges du Seigneur, debout, dressés sur une mer de cristal, image des eaux du baptême et de la grâce.

La cinquième pièce reprend et précise les terribles fléaux annoncés par les sept trompettes du début. Les anges reçoivent des flacons d'or pleins de la colère de Dieu. Le châtiment final commence. Le premier verse le contenu du flacon sur une terre nue, desséchée et désertique où plus rien ne pousse. Les hommes sont frappés d'une plaie maligne. Le deuxième ange répand son flacon dans la mer, le troisième dans les fleuves. Car après la pollution de la terre vient celle des eaux, transformées en rivières de sang pour étancher la soif des méchants. On retrouve les grands mythes des dix plaies d'Égypte. Le quatrième flacon est déversé sur le soleil dont il rend brûlants les rayons qui détruisent tout au lieu de chauffer. Les cinquième et sixième flacons de colère assèchent l'Euphrate et abolissent la barrière entre le monde connu et les Barbares. Enfin les grenouilles, animaux diaboliques, sont vomis par des monstres hideux. Le septième flacon frappe l'air et déclenche tonnerre, éclairs et déluges, sorte de préfiguration d'une fin du monde. Babylone est représentée sous les traits séduisants et trompeurs de la grande prostituée, dont le visage déformé que l'on voit dans le miroir n'est pas le reflet de ses traits harmonieux. Ses perversités sont contenues dans un flacon d'or qu'elle offre avec ostentation. La chute de Babylone, cité satanique, est toute proche.

La sixième et dernière pièce raconte la victoire finale du Messie et de la vraie foi. Babylone ruinée, il faut encore détruire les Bêtes de la terre et de la mer. Les armées célestes sont conduites par le cheval blanc, illustrant la parole de Dieu ; les Bêtes engagent un combat perdu d'avance et sont entraînées dans un étang de feu, signe de leur damnation éternelle. Le dragon est enchaîné pour mille ans. Satan assiège la ville sainte, soit l'Église. Sortant de la gueule de l'enfer les peuplades impies tombent dans le feu du ciel. Résurrection et Jugement dernier annoncent la nouvelle Jérusalem et le triomphe du bien et de Dieu. Au pied de la cité radieuse, étincelante de lumière (qui a tout d'une forteresse moyenâgeuse avec ses tours crénelées, ses échauguettes et son donjon), s'écoulent des fleuves d'eau fraîche et limpide et poussent des arbres de vie évoquant le paradis terrestre.

Chaque pièce est introduite par un grand personnage en pied, appelé le lecteur, assis avec une pose hiératique sous un noble baldaquin gothique fleurdelisé. Il est généralement interprété comme saint Jean l'Évangéliste lui-même, liaison entre tous les mondes, celui du ciel et de la terre. Il est bouclé, porte la barbe et la moustache en signe d'autorité, il est vêtu d'une longue tunique blanche ou bleue et d'un manteau rouge et est représenté pieds nus, l'un des deux bien apparent, signe de son attachement à la terre. Il tient souvent un livre qu'il montre comme pour inciter le spectateur à lire le texte.

La tapisserie est une allégorie et les symboles, nombreux, ne sont pas faciles à décrypter. On peut même parler d'un certain hermétisme. Dieu est le personnage central, il apparaît dix-huit fois, soit sous la forme d'un homme, soit comme un agneau avec les signes de sa toute-puissance : mandorle, nimbe crucifère, tonnerre. Les animaux qui l'entourent en majesté – aigle, taureau, lion – représentent la création avec sa vitalité. Le lion incarne la noblesse, l'aigle la rapidité, le taureau la force. Les anges sont plus de cent, éparpillés dans toute la tapisserie ; ils ont une apparence humaine, joufflus, blonds, les cheveux courts et bouclés, les yeux bleus, les pieds nus, ils sont nimbés d'une auréole et classiquement pourvus d'ailes ; ils sont vêtus d'une longue robe généralement blanche, parfois bleue, recouverte d'un manteau, pièce d'étoffe drapée à l'antique et fermée d'une broche de couleur. Messagers de Dieu, ils ornent la bordure de la tapisserie où ils jouent une sorte de musique de fond, avec les instruments en usage au XIVe siècle : harpe, crécelle, cithare.

L'œuvre est également truffée de paysans, de gens de guerre, d'hommes d'Église, typiques de leur temps. Les cavaliers sont entrés dans l'imagerie populaire sans que l'on se souvienne la plupart du temps de leur signification. Le premier, l'élu de Dieu, est blanc, couleur céleste ; le second est rouge sang, couleur de la guerre ; le troisième est noir comme la nuit et annonce les malheurs et la famine ; le dernier est pâle comme la mort et son glaive à double tranchant est celui de la faucheuse. Les figures fantasmagoriques sont variées et nombreuses : sauterelles maléfiques à têtes d'hommes barbus et aux queues de scorpion, chevaux à tête de lion et aux queues de serpent dont la bouche exhale fumée et soufre, dragons rouge feu incarnant les forces maléfiques, au corps ailé car ils viennent du monde céleste dont ils sont déchus, oiseaux de proie, grenouilles vomies par les monstres, masques diaboliques crachant le feu et les éclairs. La Bête de la mer est la représentation du pouvoir politique, c'est-à-dire de Rome. Elle a un corps de léopard, des pattes d'ours à six griffes, une gueule de lion, sept têtes, signe d'une intelligence exceptionnelle, dix cornes, marque de sa puissance, dix diadèmes, preuve d'un pouvoir royal.

Les couleurs sont aussi pleines de sens. Le blanc représente la pureté, la lumière éclatante et se retrouve dans les cheveux, les vêtements des martyrs. Le rouge (dragon, cheval) est la couleur de Satan, du sang, du meurtre. Le noir indique le malheur, le vert la mort, et le pourpre écarlate la débauche et le vice.

Les chiffres eux-mêmes sont significatifs et lourds de symboles. Le 3 c'est Dieu (3 en 1), le 4 c'est l'univers (les 4 coins de l'univers). Le 7 (3 + 4) est le chiffre divin par excellence, la perfection : ainsi il est question des 7 Églises, de 7 trompettes, de 7 sceaux, de 7 étoiles. 12 est le nombre des tribus d'Israël, chiffre du peuple de Dieu. 1 000 la marque d'une multitude innombrable, 666 le chiffre de la Bête et du summum de la perversité.

Sur les bordures, tissées comme des cadres moulurés de tableaux, les bandes de ciel et de terre sont parsemées d'animaux, de fleurs, d'instruments de musique (cithare, vielle, psaltérion, harpe, etc.). Le haut figure les anges célestes musiciens et chanteurs et la croix d'Anjou à double traverse est représentée sur pratiquement chaque pièce, sur une bannière qui claque triomphalement au vent. Les bordures du bas montrent la terre, prairie fleurie et herbeuse, habitée par une faune qui est celle des animaux des champs de nos régions : chiens, lapins.

Il est à noter que l'on remarque un changement de style entre les premières et les dernières pièces de la tenture. Rien là de très étonnant : en dix ans les lissiers ont pu vieillir, mourir, être remplacés et leur travail a évolué, ainsi que le goût des clients. Le début de cette « bande dessinée » a un style hiératique, un peu raide, les attitudes sont comme figées, compassées, semblables à une statuaire – proche du style des manuscrits franco-anglais –, alors que la fin est plus imagée, plus pittoresque, bourrée d'anecdotes, fourmillante de personnages secondaires pris sur le vif dans leurs activités, de détails matériels quotidiens. Une évocation proche du travail effectué généralement en Flandre.

Une iconographie riche de sens

L'Apocalypse est un texte religieux inspiré, à la fois narratif et figuratif. Mais, sur la tenture, à côté des personnages divins, diaboliques ou du bestiaire fantastique il est des figures fort réalistes, paysans, hommes de guerre, parfaite représentation des gens de leur temps dans leurs activités quotidiennes. Et une grande vérité dans la peinture des meubles, des villes, des champs et des travaux agricoles, des vêtements des soldats et des civils. On entre là dans une lecture politique de l'œuvre, révélatrice en filigrane des situations, des angoisses, des duretés et des haines du XIVe siècle.

Il ne faut pas oublier que la dynastie des Valois est en lutte avec les Plantagenêts pour le trône de France. C'est, pense-t-on, le portrait d'Édouard III Plantagenêt qui a servi de modèle au cavalier qui monte la sauterelle monstrueuse qui est à la tête de l'armée de sauterelles. La guerre de Cent Ans a ravagé le pays. Les Grandes Compagnies, hordes de mercenaires pillards et violeurs, ont semé le désastre dans les campagnes et les villes et peuvent être assimilées aux plaies envoyées par Dieu pour punir les hommes de leur incrédulité et de leurs péchés. On reconnaît parmi la myriade de cavaliers méchants le Prince Noir, fils d'Édouard III, célèbre pour sa cruauté, ayant ravagé sans pitié le Languedoc lors d'une occupation féroce. La peste noire de 1348 a amputé l'Europe du tiers de sa population. La vision de corps décharnés et sanguinolents, de visages hâves et squelettiques est courante en ces temps de malheurs et de deuils. Le roi de France Jean le Bon est prisonnier des Anglais en 1356. Même si la période pendant laquelle la tapisserie a été livrée est officiellement une période de paix ou plutôt de trêve, la guerre n'est pas loin et reprendra très vite. Et l'œuvre inévitablement reflète les inquiétudes et les drames des hommes du XIVe siècle qui l'ont tissée. Des scènes comme la moisson des élus ou le sommeil des justes sont presque codées et destinées à un public averti. Par exemple la moisson des élus représente un personnage âgé dépourvu d'auréole et de nimbe, mais avec une couronne sur la tête. Et un plus jeune, légèrement en dessous, avec les mêmes attributs. Le roi Charles V venait de mourir (il est mort en 1380) et les commentateurs ont analysé cette scène comme un testament du roi à son fils où il lui dit : « Ramasse et moissonne le blé que j'ai semé. » Une façon imagée de lui léguer une situation politique dont il hérite lui-même.

Pour apprécier pleinement tous les détails de la tapisserie, il est intéressant de reconnaître certains visages. Par exemple Bertrand Du Guesclin (1320-1380), personnage considérable, sorte de chef des armées, qui avait sauvé plusieurs fois la France et le roi, a donné ses traits au seigneur, les armes à la main, monté sur son cheval, qui protège et parraine le jeune roi Charles VI (1368-1422) entouré de ses trois oncles, Louis d'Anjou, Philippe de Bourgogne et Jean de Berry, qui se partageaient la régence en une sorte de bref triumvirat.

Et l'on se perd en conjectures sur la dame qui aurait servi de modèle au beau visage de la prostituée et à celui qui se reflète, hideux, dans le miroir. D'autres figures familières de leurs contemporains peuvent sans doute être identifiées soit parmi les monstres ennemis, soit du côté des justes. Nous en avons seulement perdu le souvenir.

Le léopard, par exemple, a exactement la pose de celui qui orne le blason britannique tant détesté. La Bête de la mer a sept têtes, celle de la terre en a une seule. Les interprétations divergent sur le sens de chaque détail, fût-il le plus infime, mais tout le monde s'accorde pour dire que rien, aucun brin d'herbe, aucune attitude, aucune boucle de ceinture n'est là par hasard, rien n'est anodin. Tout est métaphore, tout est signifiant, tout a des références.

Si les personnages du ciel sont vêtus à l'antique, de longues robes et de drapés, c'est-à-dire de manière intemporelle, il faut noter que les hommes du peuple et les soldats, eux, sont bien inscrits dans leur siècle et présentés de manière réaliste avec leurs braies, leurs bliauds, leurs cottes et surcots, leurs chausses et chaperons. La vie matérielle de l'époque est rendue avec précision et détails à travers les plantes médicinales chapeaux ou châteaux. Le pape lui-même porte la tiare, en usage seulement depuis 1300. Et les hiérarques de l'Église sont coiffés classiquement de chapeaux rouges pour les cardinaux et de la mitre blanche pour les évêques. Tous ces costumes du XIVe siècle sont bien loin de la Rome antique. Tout comme une lecture historique nous entraîne en apparence bien loin du texte originel. Si loin que cela ? Peut-être pas. Si l'on peut avoir plusieurs niveaux de lecture et d'analyse de ce « beau tapis », il en est un sur lequel il n'y a qu'un seul et unique commentaire, c'est la réalisation admirable de cette œuvre exceptionnelle.

REGARDS SUR LA TENTURE

Première pièce

Grand personnage assis sous un baldaquin.
Première pièce, scène (1).
Dimensions totales :
H. 4,37* ; L. 2,25.
C'est le premier des six « lecteurs » placés à l'origine en tête de chaque pièce. Seuls quatre d'entre eux sont parvenus jusqu'à nous. Abrité sous un haut baldaquin gothique fort travaillé et surmonté d'anges porte-bannière, le doigt pointé sur un livre en forme de rouleau, le grand personnage déroule l'ouvrage et semble inviter à la lecture et à la réflexion. L'étoffe rouge du dais est ornée d'un décor constitué de rinceaux agrémentés de Y. Ce motif peut évoquer le *bivium* pythagoricien (c'est-à-dire le carrefour de la vie où il faut choisir entre le contrôle de soi-même et celui de la complaisance envers ses sens) – symbole de vie et de mort, de vertu et de vice.

* Les dimensions des scènes sont données en mètres.
** Le premier numéro adopté pour chaque scène tient compte des scènes disparues ; le numéro suivant, placé entre parenthèses, est celui de la galerie de l'Apocalypse au château d'Angers et du Registre d'inventaire de la tenture. Cette seconde numérotation n'intègre pas les scènes disparues. L'ensemble de la tenture est présenté pages 63 à 65.

Les sept Églises.
Première pièce, scène 2 (2)**.
Dimensions intérieures du cadre : H. 1,58 ; L. 2,19.
Saint Jean s'adresse aux sept Églises d'Asie Mineure occidentale et centrale – Éphèse, Smyrne, Pergame, Thyatire, Sardes, Philadelphie, Laodicée –, et, à travers elles, à toutes les Églises, le chiffre 7 étant symbole d'universalité.
Il leur délivre le message de la Révélation contenu dans son livre.
Ces bâtiments identiques, surmontés d'un ange, figurent la chrétienté naissante.

Les sept Églises.
Envers.
Détail du visage de saint Jean.

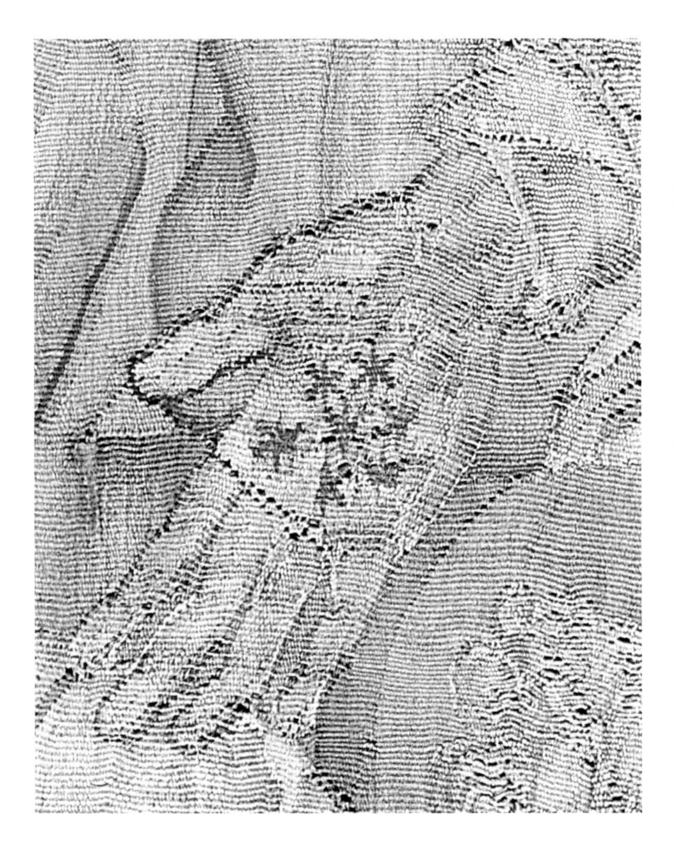

Le Christ au glaive.
Détail de la main droite du Christ.

Le Christ au glaive.
Première pièce, scène 3 (3).
Dimensions intérieures du cadre : H. 1,54 ; L. 2,41.
Le blanc, symbole de la pureté, est la couleur du Christ : cheveux, tunique et manteau. La ceinture d'or sur sa poitrine souligne la royauté du Messie, et la longue tunique son sacerdoce. Ses pieds sont apparents, signe de son appartenance à la terre. Il trône au milieu de sept chandeliers, tient le Livre dans sa main gauche et sept étoiles dans sa main droite, et reçoit l'adoration de saint Jean. Le glaive à double tranchant incarnant la vérité est tenue en travers de sa bouche. Arbres et fruits parsèment le fond, donnant l'image de la fertilité.

Dieu en majesté.
Première pièce, scène 4 (4).
Dimensions intérieures du cadre : H. 1,51 ; L. 2,60.
Dieu trône entouré d'une mandorle (figure en forme d'ovale) cantonnée par les quatre Animaux ailés ou Vivants, emblèmes des quatre évangélistes : le lion pour Marc, le taureau pour Luc, l'homme pour Matthieu et l'aigle pour Jean.
Il est entouré de vingt-quatre vieillards couronnés (ceux de gauche lui offrent un lys) – la foule des élus – et nage sur un océan de cristal qui se fond dans le firmament.
Un de ses pieds est apparent, marque de son attachement terrestre.

L'agneau égorgé.
Première pièce, scène 7 (7).
Dimensions intérieures du cadre : H. 1,49 ; L. 2,57.
Derrière le réalisme de la bête transpercée et martyrisée, surmontée de la bannière avec la croix tenue par la patte antérieure repliée, le symbole du sacrifice du Christ, entouré des élus. Il s'est offert en rédemption pour racheter les péchés des hommes.
L'agneau égorgé, placé au centre d'un motif quadrilobé, est entouré des quatre Animaux (voir signification p. 18) et des vingt-quatre vieillards assis devant un fond orné de Y (voir signification p. 14).

Premier sceau : le vainqueur au cheval blanc.
Première pièce, scène 9 (8).
Dimensions intérieures du cadre : H. 1,53 ; L. 2,08.
Qui est ce mystérieux vainqueur au cheval blanc ? Une tradition bien établie y voit la victoire du Verbe de Dieu, la couronne qui ceint la tête du vainqueur incarne le triomphe de l'Évangile et de l'Église. Certains ont trouvé au prince couronné muni d'un arc une ressemblance avec Louis Ier d'Anjou, commanditaire de l'œuvre. Sur le sol caillouteux pousse un arbre aux fruits appétissants. Un bel ange bouclé protège la monture et son cavalier.

Quatrième sceau :
le cheval livide et la mort.
Première pièce,
scène 12 (10).
Dimensions intérieures du cadre : H. 1,60 ; L. 2,30.
Une superbe allégorie de la mort abondamment reprise par de nombreux artistes par la suite : un squelette grimaçant au glaive menaçant monte un cheval pâle.
Derrière lui, l'enfer, représenté sous la forme d'une gueule béante, où brûlent les damnés précipités dans les flammes par les démons juchés sur le toit de la tour.

Deuxième pièce

La foule des élus.
Deuxième pièce, scène 16 (13).
Dimensions intérieures du cadre : H. 1,60 ; L. 2,09.
Assis sur un trône, Dieu porte l'Agneau saint avec son bras droit et tient le Livre de sa main gauche. Entouré des quatre Animaux (voir signification p. 18) et des anges adorateurs inclinés, il reçoit l'hommage de la foule des justes, élus de toutes nations : prêtres, moines, bourgeois, hommes du peuple. Les vieillards ne figurent pas aux côtés de Dieu, les représentants des pouvoirs civils et ecclésiastiques les remplacent : seigneur, roi, empereur, à sa droite ; évêque, cardinal, pape, à sa gauche. Certains portent une palme, signe du martyre. Il est à noter l'exacte reproduction des habits de l'époque.

Septième sceau : les sept trompettes.
Deuxième pièce, scène 17 (14).
Dimensions intérieures du cadre : H. 1,58 ; L. 2,32.
Toujours l'omniprésence du 7 : c'est avec sept trompettes que les anges annoncent de nouvelles visions. Dieu est représenté dans une mandorle (figure en forme d'ovale) ; il tient sur ses genoux l'agneau et un livre, et lève la main comme pour bénir.

Deuxième trompette : le naufrage.
Deuxième pièce, scène 21 (18).
Dimensions intérieures du cadre : H. 1,57 ; L. 2,62.
Les bateaux sombrent, un mât est fracassé. Le ciel laisse s'écouler un fleuve de feu. Dans l'angle, saint Jean assiste impuissant au naufrage et essuie une larme avec son manteau.

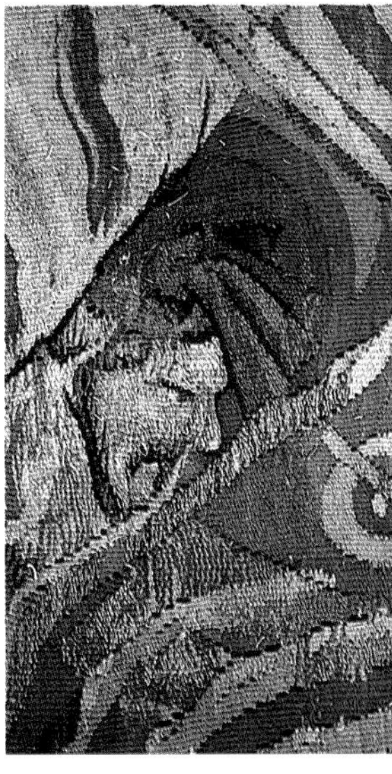

Deuxième trompette : le naufrage.
Envers.
Détail du visage d'un marin en train de périr.

Troisième trompette : l'absinthe.
Deuxième pièce, scène 22 (19).
Dimensions intérieures du cadre : H. 1,55 ; L. 2,2.
Une atmosphère de fin du monde : un ange immense annonce la catastrophe en soufflant dans son instrument ; un ruisseau de sang – l'étoile nommée absinthe – tombe du ciel, l'eau, vitale pour l'homme, est contaminée jusqu'au fond de ses sources. Saint Jean dans sa guérite est le pendant exact de l'ange par la taille du personnage.

Cinquième trompette : les sauterelles.
Deuxième pièce, scène 24 (21).
Dimensions intérieures du cadre : H. 1,59 ; L. 2,60.
Une étoile tombe du ciel sur la terre. Elle incarne un ange déchu auquel Dieu donne une clé avec laquelle il va ouvrir les portes de l'enfer d'où s'échappe une fumée.
Après la grêle et le feu (première trompette, voir p. 63), le naufrage (deuxième trompette, voir p. 24) et la pollution du ciel (troisième trompette, voir ci-dessus), les sauterelles, qui jaillissent de la fumée, envahissent la terre et s'attaquent aux pécheurs impies.
Ces monstres sont, pour certains, semblables à de vraies sauterelles, et, pour d'autres, ont l'aspect de chevaux à tête d'homme. On a souvent vu le visage détesté du roi Édouard III d'Angleterre dans la figure du cavalier ; ce dernier monte le chef des sauterelles, roi des êtres démoniaques.

Cinquième trompette : les sauterelles.
Détail des êtres démoniaques chargés de tourmenter l'âme des pécheurs.

Sixième trompette : les anges de l'Euphrate. Deuxième pièce, scène 25 (22). *Dimensions intérieures du cadre* : H. 1,59 ; L. 2,46. L'Euphrate était considéré comme la frontière entre le monde romain civilisé et le royaume des Parthes, symbole de barbarie. Les anges, debout sur les eaux du fleuve, nimbés de l'auréole d'or de la gloire, annoncent la fin et la destruction de cette limite. Dans la partie supérieure à droite, un étrange autel en or surmonté d'un livre. On peut admirer le rendu des vagues, obtenu par l'alternance de bandes bleues et blanches.

Les myriades de cavaliers.
Deuxième pièce,
scène 26 (23).
Dimensions intérieures du cadre : H. 1,53 ; L. 2,47.
Revêtus d'armures conformes à celles de la fin du XIVe siècle, des cavaliers déferlent sur une foule épouvantée et écrasent tout sur leur passage.

Aux tortures morales infligées aux pécheurs impies par la cinquième trompette (voir p. 26) s'ajoutent les douleurs physiques engendrées par ces cavaliers issus de l'enfer pour provoquer les guerres entre les hommes. Saint Jean ne peut s'empêcher de mettre la main devant sa bouche en signe d'horreur.

Les myriades de cavaliers.
Envers.
Détails.
À gauche, deux cavaliers. Le premier, qui tient un bouclier, porte une cotte de mailles et un haubert (coiffe protégeant la tête et le cou) ; un heaume (grand casque de combat) muni d'une visière mobile est posé par-dessus.
À droite, tête d'une monture semblable à celle d'un lion. De sa gueule sortent du feu, de la fumée et du soufre.

Troisième pièce

Grand personnage assis sous un baldaquin.
Troisième pièce, scène (26).
Dimensions totales :
H. 4,53 ; L. 2,42.
Abrité sous un haut baldaquin gothique surmonté d'anges porte-bannière, le lecteur semble tourner les pages du livre. Sa tête, ceinte du ruban des prophètes, se détache sur l'étoffe du dais décorée de fleurs de lys d'Anjou et de croix à boules. Les papillons disséminés sur le fond bleu de la scène portent les armes de Louis Ier d'Anjou et celles de sa femme, Marie de Blois.

Grand personnage assis sous un baldaquin.
Envers.
Détail du visage du lecteur.

Les deux témoins.
Troisième pièce,
scène 30 (28).
Dimensions intérieures du cadre : H. 1,52 ; L. 2,26.
Les deux témoins sont envoyés par le Christ dans le monde pour porter sa parole. Dans la première scène, à gauche, le témoin vêtu d'un manteau jaune maintient la porte du ciel fermée afin que les eaux ne puissent pas tomber ; les deux témoins transmettent leur parole aux hommes en soufflant le feu. Dans la seconde scène, à droite, ils trempent leur bâton dans une rivière qui se transforme en sang. Pour la première fois, le fond est brodé de motifs floraux et le vêtement d'un personnage sort du cadre.

Les témoins ressuscitent. Troisième pièce, scène 33 (31). *Dimensions intérieures du cadre* : H. 1,63 ; L. 2,39. Deux colombes viennent insuffler la vie aux témoins morts. Leur résurrection est illustrée par leur élévation dans le ciel : le bas de leurs corps apparaît dans les nuages. L'ange, tout comme saint Jean, manifeste sa joie. Au même instant a lieu un grand tremblement de terre. Les décombres de la ville détruite s'amoncellent ; les survivants sont incarnés par deux personnages saisis de terreur.

La femme revêtue du soleil.
Troisième pièce, scène 35 (33).
Dimensions intérieures du cadre : H. 1,52 ; L. 2,51.
Marie tendant l'Enfant nouveau-né à l'ange qui le hisse dans le ciel vers un trône abrité pour le soustraire au dragon aux sept têtes pourvues de cornes qui veut l'enlever : on est en pleine iconographie mariale, la Vierge étant aussi l'incarnation de l'Église. Marie apparaît la tête ceinte d'une couronne ornée de douze étoiles, revêtue du soleil, les pieds en appui sur la lune. Satan, représenté ici sous les traits du dragon, échoue ; dans sa chute, il emmène des étoiles qui ont succombé à ses attraits. Les cinq anges ont une croix sur la tête et non un nimbe.

La femme revêtue du soleil.
Détail de Marie et de l'Enfant Jésus.

Saint Michel combat le dragon.
Envers.
Détail de la tête du petit dragon dont le cou est transpercé par une lance.

Saint Michel combat le dragon.
Troisième pièce, scène 36 (34).
Dimensions intérieures du cadre : H. 1,71 ; L. 2,50.
Une scène classique revisitée par l'élégance des anges et la lourdeur du monstre plaqué à terre et transpercé de toutes parts. Ailes et lances s'entrecroisent, donnant une impression de mêlée féroce. La lance de l'archange saint Michel se termine par une croix, symbole de l'Église triomphante. L'ange au phylactère (banderole portant un texte) clame la victoire. Le fond est orné de dessins géométriques : une exception dans l'œuvre.

Le dragon combat les serviteurs de Dieu. Troisième pièce, scène 39 (37). *Dimensions intérieures du cadre* : H. 1,54 ; L. 2,48. Les initiales entrelacées qui ornent le fond sont celles de Louis Ier, commanditaire de la tapisserie, et de son épouse Marie de Blois. Une exception dans la tenture : on ne trouve pas ce motif ailleurs. Le combat du dragon avec les croyants se distingue par la véracité des costumes de la seconde moitié du XIVe siècle : le cordelier, religieux de l'ordre de Saint-François d'Assise, porte une longue robe à capuchon, ceinte par une corde à trois nœuds ; les trois civils portent une chemise sur des braies et des souliers à poulaine, deux d'entre eux ont des coiffes : un turban enroulé, au premier plan, un chaperon agrémenté de déchiquetures, au second plan. On distingue parfaitement sur les sept têtes du monstre, symbole de sa redoutable intelligence, les cornes, signe de sa toute-puissance.

La Bête de la mer. Troisième pièce, scène 40 (38). *Dimensions intérieures du cadre* : H. 1,56 ; L. 2,35. La Bête de la mer représente la puissance païenne, l'Antéchrist qui persécute l'Église. Elle sort des eaux et se dirige vers Satan qui lui remet le sceptre de la royauté, la chargeant ainsi de combattre les croyants : affreuse complicité ! Cette bête, à sept têtes de lion avec dix cornes et dix diadèmes sur ses cornes, avec un corps semblable à celui d'un léopard et des pieds ressemblant à ceux d'un ours, incarne la force et la grande puissance du mal : on ne peut s'empêcher de voir un parallélisme entre les deux monstres. Le fond est particulièrement fourni en ornements fleuris.

La Bête de la mer.
Détail des sept têtes de lion de la Bête de la mer.

Quatrième pièce

La Bête de la terre fait tomber le feu du ciel.
Quatrième pièce,
scène 44 (43).
Dimensions intérieures du cadre : H. 1,54 ; L. 2,41.
Une composition en trois parties très intéressante.
La Bête de la terre, représentée avec une gueule de lion couronnée de sept cornes, évoque les faux prophètes à la parole perfide. Elle fait tomber du ciel les rayons du soleil sur la terre en vagues successives.
Les personnages admirent le prodige en échangeant leurs impressions.
L'un d'eux porte une coiffe ressemblant à une mitre et s'agenouille devant le monstre.

L'adoration de l'image de la Bête.
Quatrième pièce, scène 45 (44).
Dimensions intérieures du cadre : H. 1,43 ; L. 2,50.
La Bête de la mer (voir sa description p. 36) est juchée sur un autel drapé de linges liturgiques, allusion à l'adoration païenne des idoles romaines et du culte impérial. Tout comme la Bête de la terre (voir ci-contre sa description), qui surplombe la scène en trônant sur une montagne, elle crache du feu, afin de répandre dans l'esprit des hommes de mauvaises paroles.
Les impies s'agenouillent devant elle, tandis que les croyants en la vraie foi sont impitoyablement mis à mort par le bourreau qui leur tranche la tête avec un glaive.

L'agneau sur la montagne de Sion.
Quatrième pièce,
scène 47 (46).
Dimensions intérieures du cadre : H. 1,50 ; L. 2,45.
L'agneau nimbé d'une auréole crucifère et tenant la bannière sacrée dans sa patte avant droite se dresse sur la montagne de Sion d'où il affranchit du péché une multitude.
Au premier plan, à gauche et à droite de la montagne, des personnages aux têtes couronnées portent sur leur front le signe de la Bête ; au second plan, neuf personnes constituent une foule symbolique, leurs fronts sont marqués de la lettre grecque T (*tau*), représentant la croix, signe du sacrifice du Christ pour le salut des hommes.
Les animaux emblématiques des quatre évangélistes (le lion pour Marc, le taureau pour Luc, l'homme pour Matthieu et l'aigle pour Jean), qui trônent parmi les anges musiciens, contemplent la scène.

Un deuxième ange annonce la chute de Babylone.
Quatrième pièce, scène 50 (49).
Dimensions intérieures du cadre : H. 1,56 ; L. 2,48.
La ville maudite, Babylone la perverse, l'impie, symbole de corruption morale et religieuse, s'écroule comme un château de cartes. L'ange l'annonce et le claironne comme une victoire future. Il agite un phylactère (banderole portant un texte) tout en le montrant du doigt.

Le sommeil des justes.
Quatrième pièce,
scène 52 (51).
Dimensions intérieures du cadre : H. 1,59 ; L. 2,50.
L'ange, qui tient en sa main gauche un phylactère (banderole portant un texte), prédit la béatitude de ceux qui ont su résister aux paroles de l'Antéchrist – la Bête.

Saint Jean transcrit scrupuleusement sur un rouleau cette nouvelle. Ainsi, les âmes de sept justes, dont les corps reposent dans des lits mortuaires, sont sauvées. Figurées sous une forme rajeunie et surmontées d'étoiles, ces âmes montent vers le ciel, portées par deux anges.

La moisson des élus.
Quatrième pièce,
scène 53 (52).
Dimensions intérieures du cadre : H. 1,56 ; L. 2,64.
Cette scène dépeint la moisson des élus. Le Christ, couronné, assis dans une nuée, tient dans sa main droite un sceptre et dans la gauche une faucille. Comme le Christ incarne la récompense des justes qui ont su reconnaître sa parole, il accomplit lui-même la moisson. Derrière la parabole religieuse, il faut lire une interprétation codée plus politique. Le roi, au front ceint d'une couronne en or, figurerait Charles V qui venait de mourir et encourageait son fils monté sur le trône à récolter en héritage ce qu'il avait semé.

La moisson des élus.
Envers.
Détail du Christ
moissonnant.

La cuve déborde.
Quatrième pièce,
scène 55 (54).
Dimensions intérieures du cadre : H. 1,50 ; L. 2,49.
La colère de Dieu est normalement contenue dans une coupe, mais il y a tant d'iniquités et de maux sur terre que la coupe déborde et un fleuve de sang s'écoule, qui emporte tout sur son passage et s'en va au loin hors du cadre de la scène, à l'extérieur de la ville.
Un affreux petit diablotin assis sur le rebord de la cuve veut entraîner l'ange qui résiste, armé de sa faucille.
Le fond est orné de vignes arborescentes, dont les extrémités des branches s'enroulent en de graciles rinceaux.

La vendange des réprouvés. Quatrième pièce, scène 54 (53). *Dimensions intérieures du cadre* : H. 1,52 ; L. 2,40. Cette scène devrait en bonne logique prendre place avant la précédente, *La cuve déborde*. La vendange en effet intervient avant la récolte. L'ange sort du temple avec sa faucille pour recueillir les raisins mûrs gorgés des péchés des impies. Pour mieux appréhender le sens de cette scène, il faut établir un rapprochement avec celle de *La moisson des élus* (voir p. 44) : dans la moisson, le Christ récolte les mérites des justes ; dans la vendange, il laisse l'ange vendanger les réprouvés sous le regard d'un autre ange qui détient le pouvoir du feu. Il convient de savoir que la vigne en espalier était courante en Anjou au XIVe siècle.
Là encore, on a une information précieuse sur la société de ce temps.

Cinquième pièce

Grand personnage assis sous un baldaquin.
Cinquième pièce, scène (56).
Dimensions totales : H. 4,28 ; L. 2,41.
Sous la double protection des bannières tenues par des anges (fleurdelisée à gauche et portant la croix d'Anjou à double traverse à droite) s'élève le dernier baldaquin abritant un lecteur. Celui-ci est coiffé du turban des prophètes et vêtu d'habits bleu et rouge. Le fond est agrémenté de papillons aux ailes ornées de fleurs de lys. Ce motif se retrouve également sur l'étoffe du dais ainsi que sur le coussin sur lequel reposent les pieds du grand personnage.

Le premier flacon versé sur la terre.
Cinquième pièce, scène 58 (58).
Dimensions intérieures du cadre : H. 1,52 ; L. 2,44.
L'ange dans le ciel, qui sort à moitié du temple, s'adresse aux quatre anges sur la terre : il annonce le châtiment divin visant à détruire l'empire de la Bête, incarnation de l'Antéchrist. Le premier ange, vêtu de bleu, verse son flacon contenant les malheurs sur une terre dénudée et stérile devant des admirateurs de l'image de la Bête qui ne semblent pas mesurer le poids des souffrances à venir.

Le flacon versé sur les eaux.
Cinquième pièce, scène 59 (59).
Dimensions intérieures du cadre : H. 1,61 ; L. 2,40.
Le châtiment divin frappe à nouveau les adorateurs de la Bête. Un ange verse le deuxième flacon sur les eaux – sources, fleuves, mer – qui, par cette action, se transforment en sang. Ce sang, qui est celui des martyrs, injustement répandu par les impies, leur est donné à boire.

Les grenouilles.
Cinquième pièce, scène 62 (62).
Dimensions intérieures du cadre : H. 1,55 ; L. 2,48.
Satan est accompagné de ses acolytes, le dragon étrangement monté sur la Bête de la mer. Satan vomit une grenouille, et ses deux suppôts en rendent deux chacun. Ces batraciens diaboliques représentent les rumeurs impies destinées à semer la discorde parmi les nations et à dresser les peuples contre Dieu.

Le septième flacon versé dans l'air.
Cinquième pièce,
scène 63 (63).
Dimensions intérieures du cadre : H. 1,55 ; L. 2,48.
Ce dernier flacon des fléaux frappe l'air. Les cieux se déchaînent alors sur Babylone, dont l'effondrement préfigure l'anéantissement total qui interviendra dans la scène de *La chute de Babylone envahie par les démons* (voir p. 55).
C'est le Christ lui-même qui en fait l'annonce.
Du haut des nuées déferlent les tonnerres et les éclairs ; des têtes d'animaux vomissent des flammes.
Les ruines de la ville s'abattent sur les hommes impies.

La grande prostituée sur les eaux.
Cinquième pièce, scène 64 (64).
Dimensions intérieures du cadre : H. 1,48 ; L. 2,43.
Saint Jean sort de sa guérite entraîné par un ange qui lui montre la belle prostituée, symbole des vices et des perversions de Babylone. Assise sur un monticule contourné par de grandes eaux, la créature blonde coiffe sa chevelure opulente et se mire dans un miroir. Celui-ci ne reflète pas son joli visage mais une hideuse caricature, image de son âme impure. On retrouve sur le fond bleu de la scène la lettre Y – symbole de vie et de mort, de vertu et de vice (voir signification p. 14).

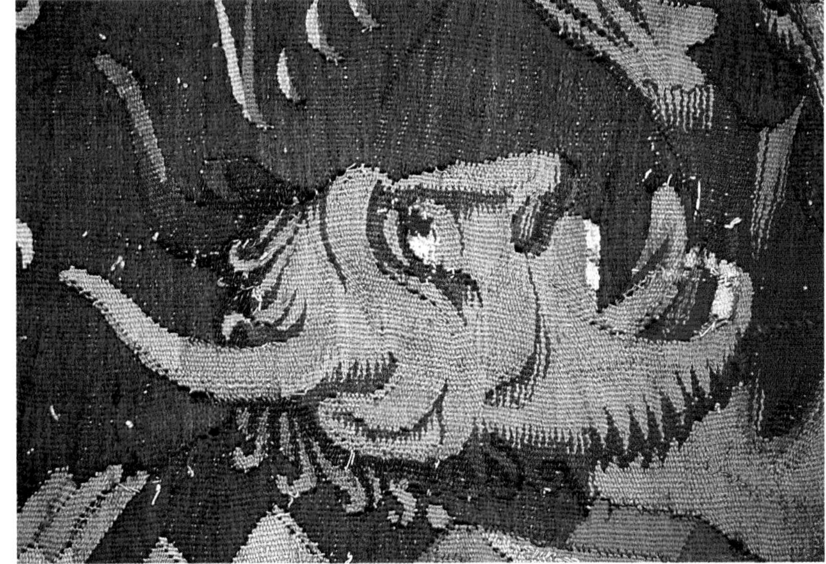

La chute de Babylone envahie par les démons.
Cinquième pièce,
scène 66 (66).
Dimensions intérieures du cadre : H. 1,48 ; L. 2,40.
Deux anges descendant des cieux proclament la chute de Babylone.
Des démons aux visages apeurés sont attaqués par des oiseaux de proie ;
la ville maudite s'effondre.
Les habitants s'enfuient, tout en se retournant pour contempler l'horreur du châtiment.
Saint Jean, qui contemple la destruction qui s'abat sur la ville de tous les péchés, joint les mains en signe d'effroi.

La chute de Babylone envahie par les démons.
Envers.
Détail d'un monstre.

Sixième pièce

Le Verbe de Dieu charge les Bêtes.
Sixième pièce, scène 73 (69).
Dimensions intérieures du cadre : H. 1,59 ; L. 2,47.
Les armées de Dieu chargent l'Antéchrist. Trois cavaliers les symbolisent, à leur tête le Christ nimbé, monté sur un superbe cheval au galop et armé du glaive de la foi. Les Bêtes de la terre et de la mer et les hommes séduits par Satan prennent la fuite et semblent se réfugier derrière un rocher. Cette scène exalte la victoire divine, le triomphe du Verbe de Dieu sur le malin.

Satan assiège la ville.
Sixième pièce,
scène 77 (72).
Dimensions intérieures du cadre : H. 1,56 ; L. 2,61.
Une scène typique de ville assiégée : les populations réfugiées dans le château fort contemplent les assiégeants depuis les créneaux de la ville tandis que les soldats postés devant la herse en défendent l'entrée. Un réalisme surprenant. Satan, figuré par le dragon, entraîne avec lui les incroyants ; ces derniers seront vaincus par le feu du ciel.

La Jérusalem nouvelle.
Sixième pièce, scène 80 (73).
Dimensions intérieures du cadre : H. 1,50 ; L. 2,49.
La minutie des détails avec laquelle la ville céleste est représentée souligne sa perfection. Comme suspendue entre ciel et terre, au-dessus des flots, elle se détache sur un fond bleu agrémenté de rinceaux.
Le Christ, auréolé d'un nimbe crucifère, s'adresse à saint Jean depuis une nuée. Ce dernier contemple avec émerveillement la demeure des élus, récompense de leur fidélité à Dieu.

La Jérusalem nouvelle.
Détail de la ville nouvelle.

Le fleuve coulant du trône de Dieu.
Sixième pièce, scène 82 (75).
Dimensions intérieures du cadre : H. 1,44 ; L. 2,42.
Dieu et l'agneau apparaissent en majesté dans une mandorle. De leur trône s'écoule un fleuve d'eau pure (l'eau du baptême ?) arrosant des collines où poussent des fleurs et des arbres pleins de fruits. Cette vision évoque le paradis terrestre avant la chute d'Adam et Ève. Saint Jean semble prendre son élan pour rejoindre le Seigneur alors que les croyants, qui surgissent du flanc de la colline, contemplent enfin la face de Dieu.

SAVOIRS AU-DELÀ...

* Le premier numéro adopté pour chaque scène tient compte des scènes disparues ; le numéro suivant, placé entre parenthèses, est celui de la galerie de l'Apocalypse au château d'Angers et du Registre d'inventaire de la tenture.
Cette seconde numérotation n'intègre pas les scènes disparues.
Les scènes déployées dans la partie « Regards sur la tenture » (p. 13-61) apparaissent en **gras**.

Première pièce

Grand personnage assis sous un baldaquin (1)

[Saint Jean dans l'île de Patmos] 1

Les sept Églises 2 (2)

Le Christ au glaive 3 (3)

Dieu en majesté 4 (4)

Les larmes de saint Jean 6 (6)

Les vieillards se prosternent 5 (5)

L'agneau égorgé 7 (7)

8 [L'agneau ouvre le livre]

9 (8) Premier sceau : le vainqueur au cheval blanc

10 [Deuxième sceau : le cheval roux et la guerre]

11 (9) Troisième sceau : le cheval noir et la famine

12 (10) Quatrième sceau : le cheval livide et la mort

13 (11) Cinquième sceau : les âmes des martyrs

14 [Sixième sceau : le tremblement de terre]

0 — 5 m

Deuxième pièce

[Grand personnage ?]

Les quatre vents 15 (12)

La foule des élus 16 (13)

Septième sceau : les sept trompettes 17 (14)

L'ange à l'encensoir 18 (15)

L'ange vide son encensoir 19 (16)

Première trompette : la grêle et le feu 20 (17)

Deuxième trompette : le naufrage 21 (18)

22 (19) Troisième trompette : l'absinthe

23 (20) Quatrième trompette : l'aigle de malheur

24 (21) Cinquième trompette : les sauterelles

25 (22) Sixième trompette : les anges de l'Euphrate

26 (23) Les myriades de cavaliers

27 (24) L'ange au livre

28 (25) Saint Jean mange le livre

Troisième pièce

Grand personnage assis sous un baldaquin (26)

La mesure du temple 29 (27)

Les deux témoins 30 (28)

La mort des deux témoins 31 (29)

Joie des hommes devant les témoins morts 32 (30)

Les témoins ressuscitent 33 (31)

Septième trompette : l'annonce de la victoire 34 (32)

La femme revêtue du soleil 35 (33)

36 (34) Saint Michel combat le dragon

37 (35) La femme reçoit des ailes

38 (36) Le dragon poursuit la femme

39 (37) Le dragon combat les serviteurs de Dieu

40 (38) La Bête de la mer

41 (39) L'adoration du dragon

42 (40) L'adoration de la Bête

0 5 m

Quatrième pièce

Grand personnage assis sous un baldaquin (41)

Nouvelle adoration de la Bête 43 (42)

La Bête de la terre fait tomber le feu du ciel 44 (43)

L'adoration de l'image de la Bête 45 (44)

Le chiffre de la Bête 46 (45)

L'agneau sur la montagne de Sion 47 (46)

Le chant du cantique nouveau 48 (47)

Un ange annonce une bonne nouvelle 49 (48)

50 (49) Un deuxième ange annonce la chute de Babylone

51 (50) Un troisième ange et l'agneau

52 (51) Le sommeil des justes

53 (52) La moisson des élus

55 (54) La cuve déborde

54 (53) La vendange des réprouvés

56 (55) Les sept dernières plaies et les harpes de Dieu

Cinquième pièce

Grand personnage assis sous un baldaquin (56)

Les anges reçoivent leur flacon 57 (57)

Le premier flacon versé sur la terre 58 (58)

Le flacon versé sur les eaux 59 (59)

Le quatrième flacon versé sur le soleil 60 (60)

Les cinquième et sixième flacons versés sur le trône et sur l'Euphrate 61 (61)

Les grenouilles 62 (62)

Le septième flacon versé dans l'air 63 (63)

64 (64) La grande prostituée sur les eaux

65 (65) La prostituée sur la Bête

66 (66) La chute de Babylone envahie par les démons

67 [L'ange jette une meule dans la mer]

68 (67) [La prostituée condamnée]

69 [Les noces de l'agneau]

70 (68) Saint Jean et l'ange

0 5 m

Sixième pièce

[Grand personnage ?]

[Le Verbe de Dieu, vainqueur au cheval blanc] 71

[Les oiseaux dévorent les impies] 72

Le Verbe de Dieu charge les Bêtes 73 (69)

Les Bêtes sont jetées dans l'étang de feu 74 (70)

[Le dragon est enfermé pour mille ans] 75

Les juges 76 (71)

Satan assiège la ville 77 (72)

78 [Le diable est jeté dans l'étang de feu]

79 [Le Jugement dernier]

80 (73) La Jérusalem nouvelle

81 (74) La mesure de la Jérusalem nouvelle

82 (75) Le fleuve coulant du trône de Dieu

83 (76) Saint Jean devant l'ange

84 (77 et 78b) Saint Jean devant le Christ

Les techniques de la tapisserie

Cinquième trompette : les sauterelles.
Deuxième pièce, scène 24 (21), détail de l'envers.
Exemple de guimpage.

Les cinquième et sixième flacons versés sur le trône et sur l'Euphrate.
Cinquième pièce, scène 61 (61), détail de l'envers.
Exemple de battage.

Deuxième trompette : le naufrage.
Deuxième pièce, scène 21 (18), détail de l'envers.
Exemple de battage.

Détail de l'envers.
Exemple de perfilage.

La tapisserie dite « de lisse » est un tissage effectué à la main avec de la laine, dans lequel le fil de trame est passé à l'aide de broches entre les fils de chaîne tendus de façon parallèle sur le métier entre deux gros rouleaux de bois. La chaîne est câblée, c'est-à-dire formée de deux ou trois brins de laine torsadés. On compte quatre ou cinq fils de chaîne au centimètre. La trame est formée de deux fils de laine de même couleur pour une seule grosseur de point, passés entre deux fils de chaîne. Il existe deux sortes de métiers de tapisserie : le métier de haute lisse (vertical) et celui de basse lisse (horizontal). Les lisses sont des cordelettes reliées aux chaînes de façon différente en haute lisse et basse lisse et qui servent à la manœuvre. Une fois la tapisserie achevée, il est impossible, au seul examen du tissu, de déterminer sur quel métier il a été tissé. Et les données historiques ne nous apportent aucune précision là-dessus.

On peut seulement déduire de la largeur des morceaux (6 m) que plusieurs lissiers travaillaient sur le même métier et avançaient au même rythme. On pense qu'ils étaient au moins six à tisser en même temps.

Une des principales caractéristiques de cette tenture est que l'aspect de l'envers est parfaitement net, et aussi parfait que l'endroit : on ne voit aucun fil coupé, ils ont tous été dissimulés lors du tissage, rentrés ou noyés sous les précédents sans avoir besoin de faire des nœuds pour la tenue de l'ensemble. Les effets d'ombre et de lumière tellement exceptionnels ont été obtenus en utilisant des fils d'épaisseur différente à deux ou trois brins. Le passage progressif d'une couleur à une autre, d'un ton à un autre a été obtenu en alternant systématiquement les nuances des fils de trame, un procédé très rare et complexe qui permet par exemple d'accentuer le modelé des formes et de donner du volume aux draperies des vêtements.

Un certain nombre de techniques hors du commun ont été utilisées. Par exemple le battage♦ pour les hachures, les chinés pour les nuances, le perfilage♦ pour les effets de lignes dentelées, le guimpage♦, pour marquer les mèches des cheveux, les crinières des chevaux, les pelages des animaux, les fines moulures des pièces d'orfèvrerie ou la superposition des pages des livres. Ce sont ces raffinements et ces recherches qui font aussi de la tenture de l'Apocalypse une des plus belles merveilles léguées par ce Moyen Âge souvent si mal aimé.

♦ *Battage : passage ou pénétration d'une couleur dans une autre au moyen de hachures.*
♦ *Duite : longueur d'un fil de la trame, d'une lisière à l'autre, dans une pièce d'étoffe.*
♦ *Guimpage : procédé consistant à enrouler le fil de trame sur le fil de chaîne sans liaison avec les duites♦ voisines.*
♦ *Perfilage : procédé consistant à faire empiéter les tissages voisins l'un sur l'autre pour éviter un relais.*

L'envers retrouvé...

Nous avons évoqué plus haut la surprise et l'émerveillement qui saisirent ceux qui ont découvert lors du nettoyage l'envers éclatant de couleurs de la tenture. Alors que les visiteurs, eux, ne voient que des teintes fanées et pâlies dont le temps a certes fait le charme, mais qui ne rendent pas du tout l'impression que les contemporains en avaient.

Les coloris utilisés sont issus de teintures végétales : la gaude (plante à fleurs jaunâtres disposées en grappes, répandue en Europe et dans le bassin méditerranéen) pour le jaune, la guède (pastel) pour le bleu, la garance (plante herbacée cultivée dans les régions chaudes et tempérées pour la matière colorante extraite de sa racine) pour le rouge.

Le soleil et la lune (dont les rayons sont particulièrement redoutables pour les couleurs, dit-on) sont responsables sans doute de la décoloration de la tenture de l'Apocalypse. Mais les pigments utilisés au Moyen Âge ne tiennent guère, beaucoup moins que les pigments chimiques utilisés à partir du XIXe siècle. C'est d'ailleurs un des écueils de la restauration que cette dichotomie des couleurs.

Une des révélations majeures à Angers a été l'importance et la variété des verts qui ont viré au bleu plus ou moins fort et foncé. Il est d'ailleurs troublant de voir en bleu toute la végétation, arbres, herbe, plantes, qui occupe en plus du sol une part non négligeable de la tenture. C'est que le vert est constitué d'un mélange de bleu et de jaune. Or le jaune est fait de gaude, un pigment particulièrement fragile qui a beaucoup souffert et qui s'est effacé au profit du bleu. Autre surprise : la présence joyeuse des jaunes d'or et des orangés pour les ailes des anges, totalement insoupçonnable sur l'endroit.

Les vieillards se prosternent.
Première pièce, scène 5 (5).
Détail de l'endroit, à gauche, et de l'envers, à droite.

Saint Jean mange le livre.
Deuxième pièce, scène 28 (25).
Détail de l'endroit, à gauche, et de l'envers, à droite.

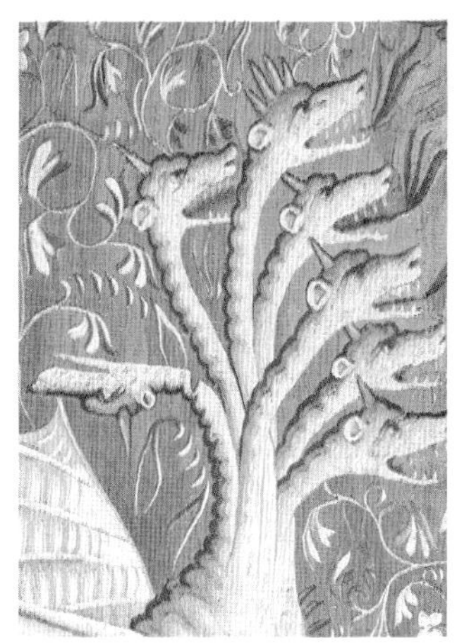

La femme reçoit des ailes.
Troisième pièce, scène 37 (35).
Détail de l'endroit, à gauche, et de l'envers, à droite.

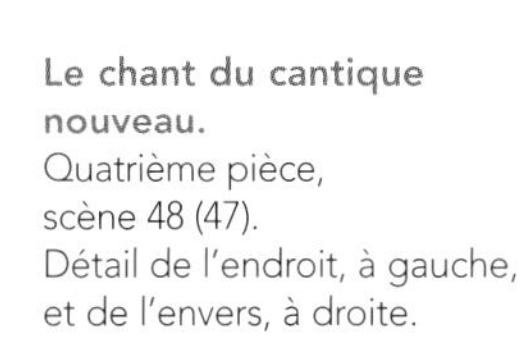

Le chant du cantique nouveau.
Quatrième pièce, scène 48 (47).
Détail de l'endroit, à gauche, et de l'envers, à droite.

Les Bêtes sont jetées dans l'étang de feu.
Sixième pièce, scène 74 (70).
Détail de l'endroit, à gauche, et de l'envers, à droite.

Centre des monuments nationaux

Président
Isabelle Lemesle
Directeur général
Fabrice Benkimoun

Éditions du patrimoine

Directeur des éditions
Jocelyn Bouraly
Responsable des éditions
Clair Morizet
Responsable adjointe des éditions
Karin Franques
Coordination éditoriale et documentaire
Anne-Sophie Grouhel-Le Tellec

Correction
Marianne Fernel

Graphisme
Cyril Cohen
Régis Dutreuil

Suivi de fabrication
Carine Merse

Photogravure
APS-Chromostyle, Tours

Impression
Mame, Tours, France
Dépôt légal : septembre 2007
Réimpression : juillet 2008

Réimpression
IME, Baume-les-Dames, France
juin 2011

ISBN : 978-2-85822-968-0
ISSN : 1960-3304

Crédits photographiques

CMN/Philippe Berthé : 5
CMN/Bernard Renoux : 2-3
CMN/Étienne Revault : 6, 8-9
CMN/Caroline Rose : couv., 13, 14, 15g, 16-24, 25g, 26-28, 29h, 30g, 31-33, 34d, 35-44, 46-54, 55g, 56-61, 67 (1re et 3e col.)
CMN/Antoine Ruais : 15d, 25d, 29bg et bd, 30d, 34g, 45, 55d, 62, 66, 67 (2e et 4e col.)
Patrice Giraud et François Lasa : 63-65

Illustrations de la couverture et des pages d'ouverture
Couverture : « L'ange au livre », deuxième pièce, scène 27 (24), détail
Page 13 : « Troisième trompette : l'absinthe », deuxième pièce, scène 22 (19), détail
Page 62 : Ange, quatrième pièce, détail de la bande de ciel au-dessus des scènes 47 (46, « L'agneau sur la montagne de Sion ») et 48 (47, « Le chant du cantique nouveau »), envers